KB097265

예수님과 함께한 천국 소원

- 프레이 작가의 기독교 에세이

예수님과 함께한 천국 소원

- 프레이 작가의 기독교 에세이

발　행 | 2024년 7월 24일
저　자 | 프레이
펴낸이 | 한건희

펴낸곳 | 주식회사 부크크
출판사등록 | 2014.07.15.(제2014-16호)
주　소 | 서울특별시 금천구 가산디지털1로 119 SK트윈타워 A동 305호
전　화 | 1670-8316
이메일 | info@bookk.co.kr

ISBN | 979-11-410-9705-9

www.bookk.co.kr

예수님과
함께한
천국 소원

프레이 지음

● 프레이 작가가 상상한 천국의 모습

< 목 차 >

인사말 7

인사말

안녕하세요. 프레이 작가입니다.

저는 최근(11월 초)에 그동안 1년 반 가량을 함께 지내며 울고 웃었던 여자친구와의 결별이 있었습니다.

더 잘해주지 못한 것이 있는가 싶기도 합니다마는, 저는 제 생각에 최선을 다해 그분을 사랑했었던 것으로 생각합니다. 그분이 저를 위해 감내한 모든 희생이 있었기 때문에 지금의 제가 있는 것이라고 생각을 합니다. 그러나 저는 이제는 이별의 아픔을 잊고 제 내일을 위해서 매진하고 정진하는 모습으로 세상 앞에 당당히 서기 위해 노력하고 있습니다.

이번 책은 기독교적인 색채가 많이 들어간 책이 될 것 같습니다. '천국'에서의 경험기라니... 그러나 천국은 제게는 멀리 있는 것이 아닙니다. 오늘 이 순간 이 자리에 계신 예수님과 함께 하는 삶이라면 천국은 바로 지금 이 세상에 이루어지고 있다는 것을 말씀드리고 싶습니다.

저는 최근에 <한국예술인복지재단>의 예술활동증명 심사를 마치고(2023.10.04) 정식으로 예술분야에서의 공인 작가가 되는 영광이 있었습니다. 저는 이 또한 하나님이 가져가셔야 할 영광이라고 생각합니다.

인사말에 제 최근 근황이 들어가서 조금 부끄럽기도

하지만 저는 최대한 솔직하게 글로써 여러분 앞에 서 있는 한 명의 작가로서 근황도 한번 말씀드려 보았습니다.

앞으로 제 인생과 제 글을 보시는 모든 분들, 그리고 보지 않으신 분들에게까지도 하나님의 보호하심과 예수님의 사랑이 함께 하시기를 기도 드리겠습니다.

그럼 짧은 인사로 인사말을 마무리하면서 책의 본문으로 들어가겠습니다.

2024.04.01.(월) 새벽 1시 35분
하나님의 역사하심을 믿는 프레이 작가 드림

Part 1 - 천국의 입구에서

천국의 입구라고 표현을 해야 할까요?
그렇습니다. 이곳은 천국의 입구입니다.
천국을 경험해 보지 못한 모든 분들을
위해 천국 문 입구에서는 어떤 일이
벌어지고 있는지 개인적인 경험을
말씀드리고자 합니다.
이 글을 읽는 여러분들도 천국 문
입구를 보기를 바라면서 글을
쓰겠습니다.

1. 종교라는 것은

종교라는 것은 참으로 어려운 주제입니다. 종교를 가진 자와 가지지 않은 자로 나누어 볼 때 가진 자가 복을 받고 삶이 풍성해지는 경우도 있는가 하면, 종교가 없는 사람도 마찬가지로 그런 경우가 있는 것 같습니다.

그럼에도 종교가 있다는 것은 참으로 이로운 일인 것 같습니다. 현실의 모든 어려운 문제를 초월적 존재에게 의지하여 바라고 소망하는 모습이라는 것은 참으로 그 자체로 숭고하고 멋진 일이라고 생각합니다.

저는 수많은 종교 중에 기독교라는 종교를 믿고 의지하고 있습니다. 종교에서는 대체로 타인과의 어울러 사는 방법을 가르쳐주고 특히 기독교에서는 이웃사랑과 영혼 구원(전도)를 강조하기도 합니다. 이 책에서는 기독교적 표현도 조금은 들어갈 것 같습니다. 왜냐하면 이 책 자체가 기독교 에세이기 때문입니다.

기독교 에세이라는 편견이 있는 사람들도 있을 것입니다. 기독교 에세이는 말씀하고 신앙, 그리고 믿음에 대한 간증으로 가득할 것이라는 생각...

제가 쓸 이 책 또한 그런 내용이 들어가지만 저는 대중성에 초점을 더 맞추어 보려고 합니다. 하지만 기독교인이 보시기에 더 이질감이 없는 책이 될 것임을

저는 알고 있습니다. 하지만 다시 한번 강조하면, 이 책은 기독교 에세이입니다.(웃음)

2. 말씀의 중요성

말씀을 보지 않으면 어떻게 되는지 저는 잘 알고 있습니다. 물론 기독교이신 분들은 대략 어떤 느낌인지 아실 것입니다. 일단 신앙이 흔들립니다. 삶의 지표가 없어지는 느낌이랄까요? 사람이라는 존재는 무엇을 붙잡고 있을 때 안정감을 느끼는 존재이지 않나요. 그런데 말씀을 모르고 잘 보지 않게 되면 신앙이 매우 위태로워질 수 있습니다. 중심이 안 잡힌다는 표현이 더 정확할지도 모르겠습니다. 저는 저의 9번째 저서 <조현병과 함께한 지옥 탈출>에서 언급했듯이 20살이 넘어서야 교회에서 설교 말씀 때 보는 간략한 성경 구절을 보는 단계를 넘어서 시편 정도를 읽기 시작했는데, 그것마저도 제가 필요한 구절 몇가지 정도만 외우는 정도였고 제일 대표적으로 좋아하는 말씀은 저의 친할아버지가 좋아하시는 말씀인 '시편 제일권'이었습니다.

[시편 제일권 내용 (개역 개정판)]

1 복 있는 사람은 악인들의 꾀를 따르지 아니하며 죄인들의 길에 서지 아니하며 오만한 자들의 자리에 앉지 아니하고

2 오직 여호와의 율법을 즐거워하여 그의 율법을
주야로 묵상 하는도다

3 그는 시냇가에 심은 나무가 철을 따라 열매를
맺으며 그 잎사귀가 마르지 아니함 같으니 그가 하는
모든 일이 다 형통하리로다

4 악인은 그렇지 아니함이여 오직 바람에 나는 겨와
같도다

5 그러므로 악인들은 심판을 견디지 못하며 죄인들이
의인들의 모임에 들지 못하리로다

6 무릇 의인들의 길은 여호와께서 인정하시나
악인들의 길은 망하리로다

이처럼 좋은 내용이긴 하지만 성경의 전체 맥락을 모르는 저로서는 그냥 복을 받기를 원하는 마음과 악인들이 심판을 받기를 원하는 마음이 더 컸던 것으로 기억합니다. 소위 말하는 기복신앙이었던 것입니다.

사실은 최근(2023년 12월 초)까지도 성경을 제대로 통독을 해본 적이 없어 더 이상은 뭐라 말을 하기 힘들 것 같습니다. 그러나 말씀이 생활화되어 자신의 마음속에서 항상 길잡이가 되어줄 예수님의 가르침이라는 사실 정도는 알고 있기 때문에 말씀은 중요하다고 생각합니다.

3. 기독교에서 금기시하는 것들은

기독교에서 금기시하는 것은 대표적으로 중독에 관한 것들이나 부정한 것들(원한, 복수심 등)입니다. 일단은 중독이라고 하면 대표적으로 마약, 담배, 술 등이 있고 더 나아가면 음란물, 도박 등이 있습니다. 이것들의 파괴력은 대단하기 때문에 한번 중독이 되면 가정이 쉽게 파탄 날 수 있습니다. 마약에 중독된 사람을 난 아직 직접 본 적은 없지만 오히려 그게 다행이라고 생각합니다. 마약을 저에게 권유하는 상황은 오지 않으니 말입니다. 제 조현병 관련 저서를 읽었다면 제가 조현병에 걸렸음을 아시리라 생각하기 때문에 편하게 말씀드리면 저도 지금이야 웃으며 글을 쓰고 있는 상황이지만 급성기 때에는 환청이 들리기도 해서 마약이 혹시 이런 느낌일까 싶은 생각이 들기도 했습니다.

환청이 들리면 정상적인 사고가 되지 않습니다. 실제 소리와 가짜 소리(환청)이 구분이 안되면 정말로 조현병의 급성기가 막이 오르게 되는데 이때 바로 약을 드셔야 한다는 점을 강조하고 싶습니다.

어쨌든 중독에 대해서 다시 이야기하면 또 하나로는 담배와 술이 있겠습니다.(보통은 세트로 중독되기도 하는 것 같습니다) 저의 경우에는 술은 병 때문에 끊게 된 계기가 있었습니다. 왜냐하면 한번 거의 정상 수준까지 조현병의 증상이 좋아졌다가 술을 진탕 마시고 다시 급성기가 오는 재발을 경험하였기 때문입니다. 그래서 그 이후로는 술은 입에 대지 않으니 다행이라고 생각합니다. 저는 또한 B형간염이 선천적으로 있기 때문에 술은 저에게 정말 독약이었습니다. 그런데 술은 그나마 끊는 게 가능할 수 있다고 생각하는 저지만(술자리를 좋아하는 편이었지, 술 자체를 좋아하지는 않았던 것으로 기억합니다) 담배는 정말로 끊기가 어려운 것 같습니다. 심심해서 한 대, 즐거워서 한 대, 기분이 나빠서 또는 무료해서 한 대... 이렇게 수 만 가지의 이유로 피고 있기도 합니다.

가끔은 아무 이유도 없이 필 때도 있고 글을 쓰는 지금도 30분에 한번은 담배를 피우기도 합니다.

제가 피우는 담배는 타르 함량이 한 갑당 0.1mg인 담배로서 국내에서 가장 니코틴과 타르 함량이 낮은 것으로 알려져 있지만, 저는 그래도 담배를 끊고 싶은 마음이 크다고 하겠습니다.

사실 기독교인이 담배를 피우는건 이렇게 책에서나 할 얘깃거리이지 실제로 사람 대 사람으로 만나는 자리에서 교인끼리 그런 이야기를 하기는 힘듭니다.

어쨌거나 저는 금연을 목표로 열심히(?) 노력 중입니다.

여러분들도 이 책을 읽은 순간에 본인의 중독이 무엇이 있는지 점검해 보는 시간이 되면 좋겠습니다. 그리고 그 중독으로부터 자유로워지기 위한 노력을 하면 더욱 좋겠다고 생각합니다.

우리 모두 중독에서 자유로워지고 건전하고 바른 일상을 찾기를 바래 봅니다.

4. 참된 기독교인의 자세

이번 목차 또한 매우 어려운 목차가 아닌가 싶습니다. 참된 기독교인의 자세는 무엇일까요?...

개인적인 의견임을 일단 먼저 말씀드리면서 이야기 해본다면 첫째로 이웃을 사랑하는 자세가 있어야 하지 않나 싶습니다.

예수님이 성경에서 강조한 것은 영혼구원(전도)과 이웃사랑인데 이 중에서도 저는 단연 이웃사랑이 더 실천하기 쉬운 가르침으로 보고 있습니다. 전도는 실제로 매우 어려운 일인 것 같습니다. 누군가에게 제 종교에 대해서 이야기하거나 설명을 하여 교회에 참석하게 한다는 것, 또 그것이 계기가 되어 믿음을 가질 수 있게 한다는 것은 정말 하나님이 역사하지 않으면 할 수 없는 일이라고 생각합니다. 이 대목에서 제가 말하고 싶은 것은 그와는 대조적으로 이웃을 사랑하는 것은 우리가 얼마든지 실천할 수 있는 것이라는 점입니다. 서비스직 종업원에게 친절을 베푸는 일, 좁은 길에서 서로 비켜주는 일, 은행 등에 있는 불우이웃 돕기 성금에 천원이라도 모금하는 일 등등... 수많은 이웃사랑의 현장들이 우리 눈앞에서 기다리고 있습니다. 여러분들도 조금 더 타인을 사랑하면 더 좋은 세상이 여러분들에게 손짓할 것이라고 저는 믿습니다.

둘째로는 건전한 기도 활동을 꼽을 수 있습니다.

건전한 기도 활동은 무엇일까? 그것은 제가 생각하기로는 타인을 위한 기도, 하나님께 영광을 돌리는 기도입니다. 타인을 위한 기도는 여러 가지가 있는데 제가 속한 교회에서는 열방(세계)의 치유와 평화를 위한 기도를 릴레이 식으로 몇 년 이상을 24시간 이어서 하기도 합니다. 교회의 순기능이라면 아마 이런 것이 아닐까요?

약자와 평화를 위해 기도하고 이웃을 사랑한다면 더 나은 세상이 될 수 있을 것입니다.

그리고 저는 본인의 것을 기도로 구할 때에는 항상 하나님의 영광에 초점을 맞추고 기도해 보시라고 말씀 드리고 싶습니다.

무엇인가를 간절히 바라는 마음은 누구에게나 있습니다. 그러나 그것이 이루어졌을 때 신실한 기독교인이라도 '이것은 내가 열심히 해서 이루어 낸 결과다'라는 생각을 할 수 있는데, 저는 그 대목에서 이렇게 말하고 싶습니다. 그 목표를 달성하기까지 건강을 허락해 주신 하나님께 감사를 우선 해야 하지 않을까요? (웃음)

5. 아픈 자들을 위해

현대 사회에서 아프지 않은 사람들은 정말 축복을 많이 받은 사람들이라고 생각합니다. 반대로 아픈 사람들을 생각하면 저도 어서 그들이 낫게 되기를 소망하곤 합니다. 왜냐하면 저 또한 정신적인 아픔을 가진 사람이기 때문입니다. 아픈 자들을 위해 제가 할 수 있는 것은 어떻게 보면 글로서 약간의 위로를 줄 수 있다는 것뿐일 수도 있겠습니다.

만약 육체적으로나 또는 정신적으로 아픔을 가진 분들이 있다면 저는 이렇게 말해 드리고 싶습니다. 아픔을 통해 하나님이 하시는 일이 분명히 있을 거라는 생각입니다. 어떤 자에게는 내면의 성숙이 될 수도 있고, 어떤 자에게는 자신을 돌아볼 수 있게 되는 기회가 될 수도 있을 것 같습니다. 그리고 간혹 어떤 사람들에게는 하나님의 역사를 가르치거나 보여주기 위해서 아프게 하시는 일 또한 있을 것이라고 생각합니다. 내면의 성숙은 아픔을 겪으며 보통 많이 성장한다고 합니다. 내가 아픈 것을 경험하면 쉽게 타인의 아픔을 이해할 수 있기 때문입니다. 또한 아픔으로 인해 아까 말한 것처럼 자신을 되돌아보게 될 수도 있을 것입니다. 왜냐하면 '내가 아파서 혹시라도 이 세상을 떠나게 된다면 그때는 어떻게 될까?'라는 생각을 하게 될 수도 있을 것 같아서입니다. 한마디로 지난 세월을 돌아보게 된다는 것입니다. 그 과정에서 본인의 잘못된 점들이나 후회스러운 일들이 있다면 앞으로는 그냥 그렇게 살지 않기로 결심하고 또 노력하면 될 것입니다.

마지막으로 제가 말하고 싶은 것은 하나님의 역사하심을 보기 위해서 아플 수도 있다는 것입니다. 제가 속한 교회에서(특히 어머니의 교회 지인분께서) 정말 어이가 없을 정도로 갑자기 사고를 당하셔서 아픈 경우도 종종 있었습니다. 그러나 그분들이 간절히 기도하며 또 노력하면서 의사가 뇌사 판정을 내린 사람들도 기적적으로 회복으로 나아가는 것을 저는 여러 번 전해 들었습니다.

육체적으로 아프시거나 정신적으로 아프신 여러분이 희망을 포기하지 않으셨으면 좋겠습니다. 힘이 많이 드신다면 한 번쯤은 하나님께도 도움을 구해 보는 간절한 기도를 드려 보는 것이 어떨까 생각해 봅니다.

저 또한 아픈 자들을 위한 기도를 앞으로 생각이 날 때마다 해보려고 합니다.

6. 시련을 겪는 모든 이를 위해

저는 이 책을 집필하는 기회를 통해 시련을 겪고 있는 모든 사람들을 위로해 주고 싶습니다. 당신들 또는 당신이 겪는 모든 시련들은 당신을 더욱 성숙하고 강하게 만들어 줄 것입니다. 저 또한 정신적인 아픔으로 인해 정말 많이 힘들었고 지금도 아직 병이 진행 중입니다. 10년 동안이나 뛰어온 마라톤 여정에서 제가 버틸 수 있었던 것은 '내일은 오늘보다 나을 것'이라는 강한 희망을 잃지 않았기 때문입니다. 또한 앞으로도 저는 희망을 잃지 않고 마라톤을 끝까지 완주해 볼 생각과 각오로 삶에 임하고 있습니다. 제가 쓴 저서들을 한 번이라도 보신 분이라면 빠짐없이 제가 조현병 환우라는 것을 아실 것입니다. 저는 실제(오프라인) 생활에서는 병명을 잘 밝히지 않지만, 책을 통해서 글을 쓸 때만큼은 병명을 일단 밝히는 편입니다. 그 이유는 몇 가지가 있는데

첫째로는 아픈 사람이라는 것을 강조하기 위함이 아니라 아픈 사람도 이렇게 열심히 살고 있으니 당신 또한 힘을 내라는 취지에서입니다.

둘째로는 그로 인해 저처럼 정신적, 육체적 아픔을 겪는 사람이나 시련을 겪는 사람들이 힘을 내길 바라는 마음에서입니다.

저는 그들을 응원하고 싶습니다. 제가 썼던 희망 에세이에서도 희망을 정말 많이 강조하는데, 시련을 겪는 사람들에게는 더욱이나 희망이 필요하지 않나 생각해 봅니다.

여러분은 정말 열심히 산 사람들입니다. 모든 사람이 시련을 완전히 피해 갈 수만 있다면 얼마나 좋을까요? 그러나 시련은 우리에게 어김없이, 또 예고 없이 찾아옵니다. 그럴 땐 무언가 힘이 되는 것들을 찾아 봐야 합니다. 저는 그것이 희망이라고 생각이 듭니다. 그리고 꼭 희망이 아니라도 그 시련을 담담하고 차분히 견디는 그 모든 모습들에 당신의 인내와 근성이 있다고 생각합니다. 모든 시련은 언젠가 끝이 날 것입니다. 그때가 언제이든 포기하지 않고 시련에 쓰러지지 않기를 저는 기도하겠습니다.

7. 신앙의 힘으로 극복하는 것들

신앙에 힘이 있다고 생각하시는 분이 있을까요? 저야 집안이 친가와 외가 모두 기독교라는 운명으로 세상에 태어났으니 기독교 신앙을 어렸을 때부터 접하고 자라왔습니다만, 그렇지 않은 사람 또한 반드시 있기 마련이니 조금 중립적으로 이 물음에 대해서 논할 수 있을 것 같습니다.

신앙이 있다면 좋은 점은 신앙이 일으키는 믿음과 소망으로 끊임없는 열정과 그로 인해 거의 항상 보이지 않는 힘을 얻을 수 있다는 점입니다. 신앙이 있는 사람들은 어려운 날에는 신앙에 의지를 할 수 있습니다. 비록 신앙을 의지한다고 해서 모든 것이 해결 되어지지는 않을 수 있지만, 내가 일단 의지할 수 있는 무언가가 있다는 점은 시사하는 바가 크다고 하겠습니다. 아무것도 의지할 수 없는 상태의 사람은 어떤 고난이나 슬픔, 또는 환난이 올 때 그것을 이겨내기를 몹시 힘들어 합니다. 그러나 신앙이 있는 사람들은 본인의 신앙에 상당 부분을 의지하며 항상 힘을 새로 얻는 것 같습니다. 한가지 예로 들고 싶은 것은 저의 어머니의 신앙입니다.

제가 한창 조현병에 대한 증상으로 망상과 현실을 구분하지 못하고 힘들어 할 때 곁에서 저를 봐주시는 부모님과 가족들 또한 힘들어야 했습니다. 그러나 이 때 어머니는 신앙을 붙잡았습니다. 기독교 신앙을 가지고 있는 어머니는 본인이 할 수 없는 것은 신앙에 호소하고, 할 수 있는 것은 기도로 힘을 공급받으며 저를 10년이라는 시간 동안 보살펴 주셨습니다. 그 결과는 그래도 어느 정도는 성공했다고 볼 수 있습니다. 왜냐하면 제가 실제로 어느 정도 수준까지는 회복이 되어 이런 글까지 쓸 수 있는 단계로 발전하였기 때문입니다. 제가 글을 쓸 때 그 글을 완성해서 가장 먼저 보여드리고 확인을 받는 사람은 바로 저의 어머니입니다. 어머니는 제 글에 대한 조언을 아끼지 않으시고 저의 든든한 보조편집장으로서 또 보호자로서 계십니다.

저는 어머니의 신앙에서 정말 많은 부분을 배우고 느꼈습니다. 저의 생각이 깊은 면도 모두 어머니와 신앙의 힘 덕분이라고 생각합니다. 여러분도 이 책에서 이야기하는 신앙이라는 것에 한번 기대 보는 것은 어떨까 합니다.

8. 가르침 받은 대로 살고자 애쓰며

저는 태어나면서부터 기독교 신앙을 가지고 있었기 때문인지 유독 남을 배려하고 선한 일에 힘을 쓰려고 노력하는 자세로 살고 있습니다. 물론 그 과정이 쉽지는 않습니다. 남을 배려한답시고 불합리한 것까지 묵인하거나 제지하지 않았던 경우도 있었습니다. 그러나 이제는 그렇게 하지 않습니다. 그게 세월의 힘인 것인지 이 책을 집필하고 있는 38살(한국 나이)에는 무언가 깨달음을 얻었기 때문입니다.

그것은 바로 내가 불편한 것을 말하는 연습이었습니다. 그것을 제대로 할 수 있다면 자신의 감정을 소모하는 일이 적어지긴 합니다. 물론 때와 장소를 가려서 말하여야 하지만 말하지 않는 것 보다는 낫다는 것을 저는 여러 경험을 통해 배웠습니다.

그리고 여전히 선한 일에 힘을 쓰려고 노력합니다. 예를 들면 나쁜 말을 쓰지 않으려 노력하고 건강하고 올바른 정신이 유지되도록 마음먹고 애쓰는 것입니다. 그런데 그것이 생각보다는 어렵고도 쉬운 일인 것 같습니다. 기독교에서는 타인에 대한 사랑을 많이 강조하곤 합니다. 그래서인지 저는 저를 상대하는 모든 사람이 기분이 좋게 되기를 바라고 또 그렇게 노력을 합니다. 그렇게 함으로써 실제 분쟁을 부드럽게 해결

하는 경우가 많았고 이것은 저의 가장 큰 장점이 되었습니다. 요약을 해보면 할 말을 하되 성격은 무난해진 것이지요. 저는 이런 제 성격이 꽤 마음에 듭니다. 특별하거나 힘든 순간들이 있지 않는 한, 아니 그렇게 될지라도 저는 이런 저의 장점과 성격을 유지하려고 노력할 것입니다.

그러려면 끊임없는 자아 성찰과 나에 대한 객관적 분석이 항상 따라야 합니다. 본인이 본인을 분석한다면 조금 삶이 피곤할 수도 있습니다. 그러나 이것은 다른 사람들과 어울려 살아가기 위한 하나의 방법이기도 합니다. 세상을 온전히 혼자 살 수 있는 사람은 거의 드물기 때문입니다.

기독교에서 강조하는 이웃사랑을 저는 이런 식으로 조금씩 실천하고 있습니다. 여러분도 힘이 많이 들지 않다면 이런 식으로 발상이나 생각의 전환을 해보시는 것을 추천해 드립니다.

9. 신앙의 한계점

그러나 제가 가진 기독교의 신앙도 한계점이 있다고 봅니다. 그것은 바로 신앙을 가진 주체가 바로 인간(사람)이라는 점인데요, 사람은 끊임없이 실패하고 또 좌절하는 존재이기 때문입니다.

기독교 신앙의 요소를 볼 때 남을 배려하고 사랑하며 도와주려고 애쓰는 모습이 계속 잘 진행이 되다가 그것이 잘 안되는 시기가 오면 보통은 좌절을 맛보게 됩니다. 저 또한 신앙적인 신념으로 좋은 감정으로만 대하려고 했던 사람들에게 실망을 한 적도 많습니다.

신앙의 한계점은 이 때 신앙이 마음의 중심에 굳건히 자리를 잡지 못하고 방황할 수 있다는 것입니다.

그럴 때는 누군가 나를 위로하거나 조언해 줄 존재가 필요해지는 때가 오는 것입니다. 저는 그래서 그 사람을 멘토라고 가끔 지칭하고 조언을 들으러 물음을 던지기도 합니다. 멘토라고 하면 인생에서 좋은 조언을 해줄 수 있는 사람을 말하는데, 제 가장 큰 멘토는 바로 어머니입니다. 어머니의 신앙은 저보다도 몇 배 정도 강하다고 생각이 됩니다. 저는 어머님의 성격적 해석과 가르침, 그리고 교회에서 배운 세상에 대한 지식을 많이 활용합니다.

사실 성경에는 세상을 살아갈 때 필요한 지혜가 많이

들어있기도 합니다. 이것은 어떻게 증명할 수 있는가 물어보신다면 유명한 성경의 한 부분을 소개하면 될 것 같습니다. 바로 '잠언'입니다. 저는 잠언을 여러 번 읽기도 했습니다. 저도 비록 완전한 성경 통독은 아니지만 그래도 그 안에 있는 지혜와 말씀을 여러분이 보시게 되면 조금 놀라실 것입니다. 2000년 전의 세상과 지금의 세상이 별반 다른 원리로 돌아가지 않는다는 것을 느끼실 수도 있을 겁니다.

또 다른 신앙의 한계점은 바로 눈에 보이지 않는 것을 믿어야 한다는 것입니다. 하나님의 말씀을 믿는 정상적인 기독교 신도들에게는 하나님이 살아계신다고 생각되고 그렇게 느낄 겁니다. 그러나 무신론자들은 '보이지 않는 것을 어떻게 증명하고 믿는가?'라는 물음을 항상 던집니다.

하지만 저는 그 해답이 성경에 있다고 생각합니다. 유명한 성경 말씀을 한 구절 소개하겠습니다.

[요한복음 21장 29절(개역 개정판)]

**예수께서 이르시되 너는 나를 본고로 믿느냐
보지 못하고 믿는 자들은 복되도다 하시니라**

10. 기독교의 참된 역할

그렇다면 기독교의 참된 역할은 무엇일까요? 이번 주제는 꽤 어려운 내용 같습니다. 기독교에서 강조하는 타인을 위해 사랑하고 노력하는 자세는 세상에 정말로 도움이 되는 행위이기는 합니다.

저는 기독교에 참된 역할은 정말 형편이 어려운 국가에 선교나 후원을 해서 배고픔이나 질병 등에서 벗어나게 함으로써 지구에 사는 모두가 공평하게 배고프지 않고 아프지 않게 되기를 바라는 기독교의 방향성 자체에 답이 있다고 생각을 합니다.

기독교만 그런 것은 아닙니다. 다른 종교도 그렇게 많이 하지만 유달리 기독교는 선교와 후원을 통해 복음을 널리 알리려 노력하곤 합니다.

그것은 예수님의 말씀이기도 합니다.

[사도행전 1장 8절(개역 개정판)]

**오직 성령이 너희에게 임하시면 너희가 권능을 받고
예루살렘과 온 유대와 사마리아와 땅끝까지 이르러
내 증인이 되리라 하시니라**

제가 소개한 구절 외에도 예수님께서 복음을 전파하

라고 하시는 말씀이 여러 번 나오지만 가장 이 책의 목적에 맞게 쓰인 성경 구절을 참조해 보았습니다.

이 책은 다시 한 번 말씀드리지만 기독교 에세이입니다.(웃음)

어쨌든 기독교 신앙을 가지고 정말 좋은 믿음을 가지거나 실제로 하나님의 역사하심을 경험한 사람은 선교와 후원 또는 복음 전도에도 열심히 임하는 것 같습니다. 그 중에서도 해외 선교나 정기 후원이 기독교의 제일 큰 업적이자 내세울 수 있는 장점이라고 생각을 해 봅니다.

Part 2 - 천국 문이 열리다

천국 문이 열린다는 표현은 조금 과장일
수도 있겠습니다. 그러나 저는
현실에서도 천국에서 지내는 것처럼
지낼 수 있다고 생각을 하는
사람입니다.
저는 오히려 정신적인 아픔을 겪으며
평범한 것들의 소중함과 귀함을
온몸으로 배웠습니다.
우리가 생활하고 살아가는 바로 지금이
우리에게 지상에서의 천국 문 안쪽의
생활일 수 있다는 이야기를 하려고
합니다.

1. 기독교라는 울타리보다 더 중요한 것

저는 기독교라는 종교에 대해 여러분들이 생각하시는 것 보다는 이해를 많이 하고 있는 것 같습니다.

왜냐하면 집안이 기독교 집안이기 때문입니다. 저희 친가의 할아버지의 형제들 중에는 목사님도 있고 외가에도 교회 장로님들 같은 분들이 있기도 합니다.

저 또한 아시는 분은 아시겠지만 기독교라는 울타리를 태어나면서부터 경험한 사람이기도 합니다. 지금 이 목차에서는 저는 이것을 말씀드리고 싶습니다. 기독교라는 울타리보다 중요한 것은 바로 '기독교인임에 부끄럽지 않은 인생을 살고 있는 것인가' 항상 스스로 물어보는 것이라는 걸 말입니다.

저는 요즘 기독교 신앙을 가지신 분들에 대한 곱지 않은 시선을 많이 느끼는 것 같습니다. 왜냐하면 성경적 가르침이나 예수님의 말씀을 따라 살지 못하신 기독교인 분들을 보고 실망하거나 하는 일들이 많이 발생하고 있기 때문입니다. 그러나 이는 어떤 사람이 되었던 간에 타인의 평가로부터 자유롭지 못하다는 이야기도 될 수 있을 것 같습니다.

저는 제 자신에게 가끔 이런 질문을 통해 내가 진짜로 '신실한(신앙심 있고 진실된)' 기독교인인가 생각해 보고는 합니다. 이것은 기독교인들에게는 꽤나 어렵기도 한 주제입니다. 왜냐하면 예수님처럼 살지 못하는 인간이라는 연약함이라는 것을 타고난 존재로서 단지 그렇게 따르도록 인생에 있어서 노력을 할 뿐이기 때문입니다.

사람은 완전하지 않습니다. 그러므로 항상 노력을 필요로 합니다. 저는 기독교인들에게 '완벽한' 모범이 되려고 하기보다는 '열심히' 노력하는 인생관을 가지시는 것을 추천합니다. 저도 물론 그 노력하는 사람 중에 하나입니다. 저는 최근까지도 상당량을 피우던 담배를 끊으려고 작정을 했습니다.

오늘을 기점으로 또 금연에 도전하고 있습니다.

만약에 실패한다고 해도 성공할 때까지 도전할 생각입니다. 여러분들도 어느 정도는 저와 같은 노력을 해보시는 것도 좋을 것 같습니다.

2. 어느 곳에서도 포기하지 않는 믿음

이번에는 저의 이야기가 많이 들어가는 목차가 될 것 같습니다. 저는 조현병이 발병하기 전부터 신앙적인 부분에 많이 의존을 했습니다. 그리고 조현병이 발병되고 나서도 의지를 많이 했습니다. 어떨 때는 연약하게도 신앙적인 모습이 거의 없어질 뻔도 했습니다.

그러나 저는 '믿음' 만큼은 포기하지 않았습니다.

그것이 바로 제가 가진 가장 큰 신앙적 장점입니다. 저는 <하나님의 조현병 수업>이라는 제 저서에서 밝혔듯이 하나님이 저를 보호하신다는 믿음을 정말 굳건히 가지고 있습니다.
그리고 그 믿음으로 인해 병마의 싸움에서 비로소 승기를 잡을 수 있었습니다. 물론 주위의 관심과 가족들의 보살핌은 절대적으로 필요합니다.

잠시 종교적 이야기를 하겠습니다. 기독교 신앙이 있으신 분이라면 어느 곳에서도 믿음만큼은 포기하지 마시길 바랍니다. 그게 어떤 절망적인 상황이 되었건 간에 하나님은 여러분을 끊임없이 사랑하고 계신다고 믿으시길 바랍니다. 그로 인해서 저희는 끊임없는 힘을 공급받을 수 있습니다.

제 주변에는 어머니가 가장 대표적으로 포기하지 않는 믿음을 가지신 것 같습니다. 저는 어머니의 신앙에서 많은 교훈을 얻습니다. 제가 병마로 힘들어할 때도, 어머니가 신앙적으로 흔들리는 상황이 와도, 어머니는 절대로 믿음만큼은 포기하지 않으셨습니다.

여러분도 이와 같이 믿으시면 좋겠다는 생각을 해 봅니다. 제가 속한 교회의 올해 표어는 참고로 '살아내리, 살아나리'입니다. 이 뜻을 잘 생각해 보시면 좋을 것 같아 소개해 드립니다.(웃음)

3. 하나님의 살아계신 역사하심

하나님의 살아계신 역사하심은 사실 쉽게 경험하긴 힘들지만 저는 그것을 이미 경험했다고 생각합니다.

왜냐하면 심각한 정신병(조현병)에서 약간은 안정적으로 생활할 수 있을 만큼 정신적으로 안정이 되었기 때문입니다.

제가 속한 교회에서는 저를 위해 정말 기도를 많이 해주셨습니다. 이 책을 통해서 저는 그분들께 많은 감사를 드리고 싶습니다. 또한 그런 덕분일까요? 저는 기적적으로 일상으로 돌아올 수 있었습니다. 이런 기독교 에세이를 쓰는 이유도 저는 회복 시켜주신 하나님께 영광을 올려드리기 위함입니다.

또한 저에게 글쓰기의 재주를 허락하셔서 지금 이 책까지 10권의 저서를 집필하게 해주신 역사하심이 아마 우연은 아니라고 생각이 됩니다.

저는 아픔으로 인해 성숙해지며 단단해지고 신앙적으로도 굳건해지고 있습니다.

그로 인해 책으로나마 하나님의 역사하심과 살아계심, 그리고 할 수 있다면 이 책을 읽으시면서 기독교라는 종교에 조금은 호감을 느끼실 수 있게 만들고 싶기도 합니다. 앞으로도 저는 열심히 살 것입니다. 하나뿐인 이 목숨이 다할 때까지 위대한 선교사님들이나 목사님 같은 사람이 되지 못할지라도 저는 제가 할 수 있는 한은 하나님의 사랑을 전파하고 싶은 것입니다.

이 글을 읽으시는 여러분에게도 기적과 같은 하나님의 살아계신 역사하심으로 인해 기독교에서 말하곤 하는 '인격적 하나님'을 만나실 수 있기를 기도하겠습니다.

4. 예수님의 가르침과 어머니

제 주변에서 가장 예수님의 가르침을 잘 실천하시는 분이 있습니다. 목차의 제목과 같이 바로 제 어머니이신데요. 어머니께서는 타인과 지인을 배려하는 마음과 전도에 대한 열정, 그리고 성경 읽기를 통한 깨달음을 얻으시며 날마다 성장해 가시는 것 같습니다.

전도는 그럼 어떻게 하고 있는지 이야기해 드리겠습니다. 제가 속한 교회에서는 '전도대(원)'이라는 활동이 있습니다. 쉽게 말하면 거리에 구역을 맡아서 전도를 하러 다니는 일련의 규칙성 활동입니다.

전도라고 해도 강요를 하지는 않고 준비된 소책자나 소량의 먹을 것을 소분해서 각자 맡은 구역의 낯선 사람들에게 교회 출석과 성경 읽기를 권면(권유)하는 모습으로 진행이 됩니다.

전도는 제가 생각하기로 기독교에서 실천하기 가장 어려운 행동인 것 같습니다. 앞서 이야기를 드린 바와 같이 누군가에게 새로운 신념이나 믿음을 전파한다는 것은 보통 일이 아닙니다.

그러나 제 어머니는 그 활동 자체에 기쁨을 많이 느끼셔서 벌써 수 년째 실행하고 계십니다.

그렇게 열정적인 분이 나이(현재 만 65세)에 비하면 왜 수 년 밖에 전도를 못하셨을까요? 그 이유는 바로 제가 아픈 이후로 전도에 사명감을 가지게 되셨다는 것입니다. 제가 아프면서부터 어머니는 다른 활력소를 찾으려 노력하셨는데, 신앙이 좋으신 어머니가 선택한 것은 노방(야외)전도 였습니다.

제가 다니는 교회는 전국에서 거의 손꼽을 정도로 규모가 있는 편이어서 조직력이 매우 좋은데 그런 환경에 있다 보니 자연스럽게 전도를 하시게 된 것 같습니다.

어머니는 전도에 열정적으로 임하지만 권유의 미덕을 잊지 않고 계십니다. 제가 들은 바로는 전도를 싫어하시는 사람에게는 굳이 전도 자료를 드리지 않는 점이 특징입니다.

그러면 그런 사람들에게는 무엇을 줄 것 같으신가요? (웃음)

바로 소량의 먹을거리나 생활용품 같은 것을 드린다고 합니다. 그것은 교회에 대한 인식을 좋게 하려는 의도가 있다고 볼 수 있겠습니다. 그러나 오지 않는 사람에게도 조금의 도움을 줄 수 있다는 생각으로 나누어주는 것에 대한 기쁨을 느끼신다고 합니다.

또 하나는 제가 가장 약한 부분인 '성경 읽기'입니다. 이것은 제가 한 번도 성경 통독(완독)을 하지 못한 부분하고 대비되는데 저희 어머니는 많은 횟수로 성경을 통독하고 계십니다. (최근에도 계속 읽고 계십니다) 어머니는 단순하고 반복적인 이 행위를 통해 많은 성경에 나오는 깨달음을 얻으신 것 같습니다. 성경을 매일 3장씩 읽으면 일년에 한번 성경을 통독하게 됩니다.

그래서 저는 어머니로부터 지혜를 공급받기도 합니다. 어떤 일이 발생하면 가장 먼저 달려가서 어머니의 성경적 가르침과 그 안에 있는 지혜를 배우려고 노력하고 있고 실제로 서로 대화 자체도 많은 편입니다.

저도 이번 년도부터는 성경을 조금씩 읽기 시작했습니다. 성경은 구약과 신약이라는 구분이 있는데 구약은 성경을 처음 보시는 사람은 조금 읽기에 어려운 면이 있다고 하셔서 신약을 우선 읽고 있는 상황입니다.

예수님의 가르침이라면 성경 말씀과 이웃을 사랑하고, 영혼 구원(전도)을 하는 것이 대표적인데 어머니는 참 열정적이게도 두 가지를 다 하고 계신 것입니다.
같은 한 명의 기독교인으로서 저도 그런 어머니의 신앙적 자세를 본받으려고 합니다.(웃음)

5. 나를 포기하지 않는 사람들

저는 제 9번째 도서인 <조현병과 함께한 지옥 탈출> 에서 많은 좌절을 겪은 일들을 공개했습니다.

그러나 제가 지금까지 작가로서 활동하며 일상을 유지하기 위해서 도움을 주신 분들에게 감사를 표하는 것이 옳은 일이라는 것을 잘 알고 있어서 이 목차를 준비해 보았습니다.

일단 가장 먼저 하나님께 감사를 드립니다.

제가 몸이 아프지 않고 정신적으로 핸디캡이 있어도 작가로 살 수 있게 해주신 덕분에 저는 많은 깨달음을 얻고 또 직업에 만족하며 살아갈 수 있었습니다.

그 다음으로는 제 도서에서 많이 언급한 바와 같이 어머니(가족들)에게 고마움을 느낍니다. 가족들의 응원이 없었다면 이렇게 10번째 책을 낼 수 없었을 것이고, 조현병과의 사투에서 호전도 되지 못했을 거라고 생각이 많이 듭니다.

그리고 제 병에 대해 알고 있으면서도 제 곁을 떠나지 않았던 모든 친구, 지인들에게 감사를 전하고 싶습니다. 이제 정말로 친한 친구는 병으로 인해 상당수가 떠났지만, 그럼에도 아직 연락을 주고 받는 친구가 있다는 것은 정말 인간적인 마음으로 다행이라고 생각이 듭니다.

감사할 것이 또 하나 있습니다.

바로 우리나라 대한민국에 태어난 것에 감사합니다.

우리나라의 복지 시스템이 없었다면 저는 절망 속에서 허우적대다가 비참하게 쓰러졌을 것입니다.

휴전 국가이지만 그래도 치안이 좋은 편인 한국에서 태어난 것이 좋은 이유는 정보의 속도에 있습니다.

조현병은 많이 알수록 안정될 확률이 높고 무언가 깨달을 확률이 높은 병인 것 같습니다.

그래서 제가 책을 써서 다른 환우들이 회복될 수 있는 어떤 계기를 만들어 보려고 하는 것입니다.

이렇게 나열해 보니까 감사한 것들 투성이네요.

앞으로도 저는 이렇게 감사한 마음을 안고 또 작가로서 집필에 노력하는 사람이 되려고 합니다.

6. 내가 가진 재주를 올바로 사용하다

저는 처음 책을 집필했을 때의 열정을 아직까지는 가지고 있는 것 같습니다. 이전에는 저와 같은 처지에 있는 조현병 환우들을 위한 책을 많이 만들었지만, 이제는 일반 에세이의 영역으로 더 작품의 세계관을 넓힐 필요가 있다고 생각합니다.

이제는 일반인들이 보시기에 전혀 무리가 없을 내용으로 제가 집필할 책들의 내용을 채워가고 싶은 욕심이 있습니다.
일단 크리스찬인 저는 기독교 에세이인 지금의 이 책을 마지막으로 기독교 에세이를 더 낼지 말지를 심사숙고 하고 있기도 합니다.
그리고 각각 7권의 시리즈로 구상된 다른 장르의 소설을 구상 중이기도 합니다.
왜냐하면 '에세이'라는 장르는 본인의 경험이나 지식을 기반으로 써야 하는 것인데, 그것은 개인마다 한계점이 분명하기 때문입니다.

제가 앞으로 쓸 소설 분야에 대한 도전이나 활동도 긍정적으로 봐주시면 정말 감사하겠습니다.

7. 책 쓰기를 통해 배운 것들

저는 처음 제가 쓴 책인 <조현병과 크리스찬>이라는 책을 쓰기 전까지는 제가 작가가 될 수 있다는 생각을 전혀 하지 못했습니다. 그러나 책을 출간하고 나서 저에게 하나님께서 허락하신 글쓰기의 달란트가 있다는 것을 어렴풋이 느낄 수 있었습니다.
그리고 그게 이어져 작가로서의 삶을 살고 있고 현재 10번째 책을 집필 중이기도 합니다.

제가 책 쓰기를 통해 배운 것들은 몇 가지 있습니다.

첫 번째로는 자서건 격의 에세이를 쓰면서 자기 자신의 감정에 대해 더 자세하게 알게 되었고, 고통스러웠던 과거에 대한 회피보다 직면을 하게 되면서 내면이 더 성숙해지고 담대해진 것 같습니다.

두 번째로는 직업이 생겼다는 기쁜 마음이 생겼습니다. 지금은 직업적인 자부심이 큰 상태입니다. 저는 그래서 지금은 저를 소개할 때 작가라고 소개하기도 합니다. 조현병을 앓고 있어도 어엿한 직업이 있다는 것이 너무나 기쁜 마음입니다.

세 번째로는 책을 읽는 사람의 감정까지 고려하려다 보니 더욱 타인에 대해 관대해지고 이해심이 많아졌다는 것입니다. 그럼으로써 저와 다른 양상이나 성향의 사람들까지 비판적으로 보지 않게 되는 현상이 생겼습니다.

네 번째로는 말 그대로 책 쓰기를 통해서 인생을 낙관적으로 바라보고 또 나름의 교훈을 얻는다는 점입니다. 병적인 증상 완화에도 많은 도움이 되었습니다. 여러분도 꼭 책 쓰기 활동이 아니더라도 자신이 생각하는 것들을 글로서 정리해 보는 습관은 한 번쯤은 가져보시길 바랍니다.

저는 단언컨데 글쓰기가 여러분에게도 많은 도움이 된다고 생각합니다. 일단은 본인의 과거와 현재, 그리고 미래에 하고 싶은 일 등을 일기를 쓰듯이 시작하는 것을 추천해 드립니다.

8. 세상은 당신의 생각보다 밝습니다

저는 세상이 어둡다고만 생각하진 않습니다. 바꿔 말하면 세상은 생각보다 밝게 빛나고 있다고 믿습니다. 어려운 환경에서도 남을 도우려는 선한 영향력을 가진 사람은 쉽게 찾을 수 있습니다.

전 세계의 우리보다 형편이 좋지 않은 나라에 후원이나 기부를 하는 모습에서, 교회라면 불우이웃을 돕는 헌금을 하는 사람들에게서, 그게 아니라면 우리 주변에서 안부를 묻는 모든 사람들, 우리를 걱정해 주는 사람들, 희망을 가지고 살아가는 모든 사람들에게서 저는 세상이 밝다고 느끼곤 합니다.

이 책을 읽는 여러분들도 세상이 당신의 생각보다 밝다고 생각을 한번 해보시는 건 어떨까 합니다.

또한 선한 영향력을 가진 사람들을 언젠가 마주하게 될 날이 오면 제가 한 말들의 뜻을 아시게 될 것이라고 생각합니다.

저는 사람의 성향은 선천적으로 선하다고 믿습니다. 타고난 환경에 의해 비관적인 사람이 되었다고 해도, 그 안에 숨어있는 밝은 면과 이타적인 마음이 남아있는 사람이 더 많다고 믿습니다.

남을 이해하고 배려하는 마음! 우리도 노력하며 세상을 더 밝게 만들어 봅시다!

9. 모든 것이 새로워요

저는 또래에 비해 풍파를 많이 겪은 사람이라고 생각합니다. 많은 것에 도전해 보았고 많은 실패를 하였고, 그래도 아직도 제 꿈을 향해 도전하고 있습니다.
요즘 저는 모든 것이 새롭다는 생각을 많이 합니다.
그것은 작가가 되도록 지혜를 허락해 주신 하나님께서 그렇게 하신 것이라고 믿습니다.
작가가 되면서 세상을 보는 시각이 조금은 더 밝아진 면이 많아서일지도 모릅니다.
저는 이 새로운 마음가짐으로 제가 할 수 있는 한까지 계속 도전하며 항상 정진해 보려고 합니다.
그리고 그 시작은 제 열 번째 저서인 이 기독교 에세이를 집필하며 이미 진행되고 있음을 느낍니다.
제게 새로운 삶의 기회를 열어주신 하나님께 이 책을 통해 감사를 드립니다.
작가가 되기 전보다 자신감을 많이 되찾게 되기도 하였고 일전에 쓴 첫 번째 기독교 에세이인 <하나님의 조현병 수업>을 집필하면서 신앙적인 성숙도 있었던 것 같습니다. 지금 쓰는 책은 그보다 더 정성을 들이고 있지만 판단은 아마 독자님들께서 하시는 거겠지요. 많은 분들이 유익하게 보실 수 있는 책이 되기를 바래 봅니다.

10. 난 함께가 좋아

<조현병과 함께한 지옥 탈출>을 집필할 당시는 제가 '나는 혼자가 좋아'라는 생각을 많이 했던 것 같습니다. 그러나 지금은 약간의 호전이 되었는지 함께 무언가를 할 수 있는 사람이 있으면 좋겠다는 생각을 해 봅니다.

그동안 독고다이(고집있는 외길)의 길을 걸어왔으니 이제는 타인들과 어울리며 정서적 교류를 하고 싶다는 생각이 많이 드는 것 같습니다.

앞으로 저는 어디에서 어떤 사람들과 교류하며 어울리게 될지 모르겠지만, 제 증상이 조금 더 호전이 되고 생활수준이 안정이 되는 시점에서는 과감하게 다시 교회의 문을 두드려 볼 수도 있을 거 같습니다.

저는 사실 크리스찬으로서 교회와 예배, 공동체 생활에 대한 갈망이 많은 편입니다. 그래서 얼마 전 어머니를 따라 특별 새벽기도회에 한번 다녀왔습니다.

그런데 이게 웬일입니까? 교회의 입구에 다다르자 눈물이 핑 도는 것입니다.

저는 그때 제가 생각보다 예배를 갈망하고 그리워 하고 있음을 많이 느끼게 되었습니다.

11. 남을 도와주는게 너무 좋아

저는 선천적으로 남을 돕는 것을 좋아하는 사람인 것 같습니다. 다른 사람에게 용기와 희망, 위안과 위로를 줄 수 있을 때 행복함을 느끼기도 합니다.

그래서 제 책의 이야기들은 모든 작품에 희망적인 메세지를 포함하고 있습니다.
설령 그것이 조현병에 관한 책 일지라도 말입니다.

그리고 지금 제가 쓰고 있는 나름의 기독교 에세이도 초심자나 일반인들이 읽기에 좋은 내용으로 채워가 보려고 노력했습니다.
그래서 이 책이 누군가에게 도움이 될 수 있다면 정말 기쁠 것 같습니다.

그게 잘 되었는지는 저도 잘은 모르지만 평가는 이 책을 읽으시는 독자 분들이 하시는 것이므로 그만 말을 줄여야 겠습니다.

이 책을 보시는 여러분이 조금이나마 신앙적으로 도움이 되며, 위로와 평안을 얻을 수 있기를 바래 봅니다.

12. 난 책쓰는게 좋아

10번째 책을 쓰면서 저는 정말로 작가로서의 입지를 다졌다는 생각이 듭니다.

저는 책을 쓴다는 것 자체가 너무나 즐겁습니다.

저의 생각이 많이 들어간 에세이를 읽어주시는 독자분들이 있는 한은 제 저서 <무명작가에게도 봄날이 올까요>에서 밝힌 바와 같이 힘이 되는 날까지 도서 집필에 힘을 쏟아 보려고 합니다.

또한 단 한 권의 책이 판매가 되더라도 저는 매우 기쁨을 느낍니다.

이 책을 집필하는 지금은 이제 저도 어쩔 수 없는 전문 작가가 된 것일까요?(웃음)

저는 작가로서 다양한 주제를 가지고 여러 도전을 더 해보고 싶습니다. 작가로서의 욕심이 있다면 출간 기념 행사를 꼭 한번은 해보고 싶네요.

그리고 정신적인 어려움을 겪는 모든 사람들에게 글쓰기를 권하고 싶습니다.

글쓰기를 하면 생각이 많이 차분해지며 중구난방이던 잡념들이 정리가 되는 것을 느낍니다. 여러분도 과거와 현재, 그리고 꿈꾸는 미래를 글로서 적어 보는 것도 좋을 것 같습니다.

13. 세상의 참된 즐거움을 깨달으며

현재 한국 나이로 38세인 저는 이 책을 집필하면서 조금은 세상의 소소하고 참된 즐거움을 깨닫고 있는 것 같습니다.

평범한 것의 소중함과 꿈꾸는 미래와 비전을 아주 조금씩 만들어 가며 그것에 가까워지는 삶을 살고 있기 때문입니다.

여러분들도 가슴속에 간직해 둔 꿈이 있다면 그것을 위해서 아주 조금씩이라도 도전과 시도를 해보는 것을 저는 추천해 드립니다.

그리고 소소한 행복과 당연하고 평범한 것의 소중함을 한번 느끼는 시간을 가져보시는 것도 좋을 것 같습니다.

그래서 저는 앞서 제가 소개한 대로 꿈을 그려갈 수 있는 방법을 제시하고자 합니다.

첫 번째로는 과거의 미련과 후회를 적어봅니다. 그리고 그것들로 인한 나의 감정을 느껴보고 있는 그대로 적어 봅니다. 그런 다음에는 그 감정을 어떻게 해소할 것인지도 한번 적어 봅니다.

두 번째로는 열심히 노력하고 도전했지만 실패한 경

험을 생각 나는 대로 적어 봅니다. 그리고 그것을 통해 깨달은 점들을 기록해서 다시 반복적인 실수를 하지 않도록 머릿속에서 그것들을 정리하는 시간을 가집니다.

세 번째로는 현재 내가 하고 있는 도전과 시도에 대해서 적어봅니다. 그리고 그 도전을 위해 노력한 모든 것들을 나열해 보고 그 노력을 한 자신에게 후한 점수를 줍니다.

네 번째로는 내가 꿈꾸는 미래나 인생의 목표가 있는지 점검해 봅니다. 꿈이 없어도 목표는 있기 마련인데 이것을 찾는 연습을 하는 것입니다.

네 번째까지 다 실행을 하셨다면 이제 자신에게 가장 잘 맞는 자신만의 솔루션을 발굴해 봅니다.
이 때 주변 어른이나 신뢰할 수 있는 가족 또는 지인, 친구에게 조언을 구해 봅니다.

신뢰할 수 있는 사람이 없다면 유료 심리상담이나 고민 상담 또는 적성 검사 등도 한 번 쯤은 해볼 수 있겠습니다. 이를 통해 자신이 원하는 인생의 목표나 꿈이 무엇인지를 아시는 기회가 되기를 바랍니다.

14. 이 생활을 유지하고 싶어

저는 작가로서의 이 생활과 일상, 그리고 꿈을 향해 아주 조금씩이지만 전진하는 이 순간이 정말로 행복합니다.
여러분도 앞의 목차에서 소개한 대로 연습을 하시다 보면 본인이 진짜로 원하는 인생이 어떤 것인지 아시게 될 것이라는 생각이 듭니다.

제가 원하는 삶은 타인에게 베풀고 저도 성장하는 삶입니다.

그 꿈을 언젠가 이룰 수 있다면 가장 좋겠지요.
그러나 지금도 충분히 제가 원하는 대로 살고 있는 욕심꾸러기 작가 이기도 합니다.(웃음)

제가 만들 수 있는 미래는 한정적이지만 함께 그리고 같이 성장할 사람들과 미래를 꿈꾸고 있다면 언젠가는 그 꿈에 도달하리라 긍정적인 시선으로 모든 것에 임하고 있습니다. 여러분들도 이런 긍정적인 마인드를 가지시기를 바래 봅니다.

Part 3 - 천국을 경험하며

천국이라는 것이 진짜로 있을까요?
저는 천국이 존재한다고 믿지만 본 적이
없어서 그것을 설명하기 힘들 것이라고
생각한 적도 많았습니다.
그러나 천국은 먼 곳에 있지 않음을 이
책을 집필하며 깨닫고 있기도 합니다.
이 세상이 천국이라면 그 이유가
무엇일까요?
이 세상에서 맛보는 현실에서의 천국은
어떤 모습인지 저의 생각을 글로서 적어
보겠습니다.

1. 약속과 믿음

약속의 말씀이 있다면 어디서 찾아야 할까요?
기독교인이거나 기독교에 관심이 있는 분들이라면 성경을 한번 읽어보시는 것을 추천해 드립니다.
저는 올 해 저희 교회에서 하는 신년 행사인 '올해 나에게 주시는 말씀'이라는 성경 구절이 적힌 신년 기념 카드를 한가지 골라 가져온 바가 있습니다.
성경에는 약속의 말씀이 많은데, 저는 이번 년도에는 아래와 같은 말씀을 믿어 보려고 합니다.

[이사야 12장 2절~3절(개역 개정판)]

2 보라 하나님은 나의 구원이시라 내가 신뢰하고 두려움이 없으리니 주 여호와는 나의 힘이시며 나의 노래시며 나의 구원하심이라

3 그러므로 너희가 기쁨으로 구원의 우물들에서 물을 길으리로다

성경에는 수많은 예언과 약속, 그리고 예수님의 가르침과 믿음에 관한 많은 일화들이 가득 차 있습니다.

믿음은 보이지 않는 힘이기도 하지만, 때로는 보이지 않기 때문에 찾기도 어려운데요.
유명한 성경 구절 중 하나를 소개해 보려고 합니다.

[히브리서 11장 1~3절(개역 개정판)]

1 믿음은 바라는 것들의 실상이요 보이지 않는 것들의 증거니

2 선진들이 이로써 증거를 얻었느니라

3 믿음으로 모든 세계가 하나님의 말씀으로 지어진 줄을 우리가 아나니 보이는 것은 나타난 것으로 말미암아 된 것이 아니니라

이 성경 말씀의 의미는 믿음이라는 그 단어나 의미 자체를 분명하게 설명하고 있는 것입니다.
여러분들도 언젠가 보이지 않는 이 믿음의 힘을, 또 하나님의 살아계신 역사하심을 경험하시기를 바랍니다.

2. 진실로 답은 세상 안에 있다

여러분들은 이 세상이 밝게 유지되기 위한 희망이나 비전이 어디에 있다고 생각하시나요?

저는 아득한 무언가의 너머에 있다고 생각하지 않습니다.

저는 바로 이 세상 안에 답이 있다고 생각합니다.

예를 들면 우리에게 감동을 주는 영화 한편이나 학교에 가는 누군가의 자녀인 아들, 딸들의 뒷모습에서 볼 수도 있고 오늘 저녁을 준비하시는 어머니의 등 뒤에서도 볼 수 있고 인터넷에 뜨는 가난한 나라를 위해 후원과 모금을 하는 자선 단체들 에게도 있을 수 있다고 생각합니다.

세상 안의 답은 우리의 삶의 모습 그 자체입니다.

우리가 열심히 살아가는 모든 순간, 모든 과정, 모든 노력이 있는 한 언제나 저희가 필요한 답을 그 안에서 찾을 수 있다고 믿습니다.

희망을 잃어버리신 분이 있다면 제가 쓴 희망에세이 <당신에게 있는 희망을 발견하세요>를 한번 읽어 보시면 좋을 것 같습니다.

해당 책은 희망을 잃어버린 모든 사람에게 말하고 싶은 저의 생각을 책으로 정리한 에세이입니다.

어쩌면 그 책으로 인해 한 가지 이상의 희망을 발견하시는 계기가 될 수도 있을 것 같습니다.

해당 도서의 제목으로 인터넷에서 검색하신 후 목차를 보시고 필요하신 분은 구입을 하시면 좋을 것 같다는 생각을 해봅니다.(기독교적인 이야기는 나오지 않는 일반 에세이입니다)

3. 있는 그대로의 나를 보다

저는 이 책을 집필하며 있는 그대로의 저의 모습을 더욱 확실하게 보게 되었습니다.
그것은 바로 남을 돕는 것을 좋아한다는 것입니다.

저는 저의 선천적인 성격이 타인을 위해 무언가를 해주고 기뻐하는 모습을 보는 것을 즐긴다는 것을 확실하게 깨닫게 되었습니다.

저는 지금 제가 운영하는 채팅방에서 아직은 얼마 되지 않는 소수의 인원들과 채팅을 하며 그분들의 비전을 같이 공유하고, 또 제가 할 수 있는 조언을 최대한 하려고 노력하고 있습니다. (현재는 방장을 멤버에게 인수인계 하고 저는 그 채팅방에서 나오게 되었습니다)

이런 활동을 통해 저는 정말 상당한 보람과 열정의 해소를 느낍니다. 어쩌면 저는 상담직이 더 어울리는 사람인지도 모르겠군요.(웃음)

또한 저는 제 본래 성격인 차분한 성격이 다시 살아나기 시작했습니다. 그것은 민간 자격증인 심리상담사

1급 준비를 하면서 얻은 좋은 교훈 때문이기도 합니다.

저는 병에 걸리기 전의 성격이 다시 나오는 이 순간이 너무나 반갑고 기쁘기도 합니다.

이 기분을 병이 발생한 지난 2014년도부터 바로 최근에까지 느끼지 못했다는 것이 조금 아쉽긴 하지만, 저는 그래도 조금이라도 예전의 모습을 갖게 된 것이 마냥 기쁘고 설레는 일이 아닐 수 없습니다.

그리고 조금은 어른스러워진 저의 모습을 있는 그대로 받아들이고자 노력하고 있습니다.

이 책을 쓰는 지금은 38살의 나이로 이제는 마흔(불혹)을 2년 앞두고 있기 때문일 수도 있는데요.

부모님께도 어리광 같은 분위기 대신 든든한 아들이 되기 위해서 노력하고 있습니다. 그러기 위해서는 제가 떳떳한 직업이 있어야 하지만, 일단은 공인작가가 되어 다른 사람들에게 조금이라도 희망과 용기, 그리고 제가 가진 조금의 지혜를 책으로라도 나눌 수 있다면 저는 만족합니다.

4. 나의 새로운 비전

저의 새로운 비전은 제가 앞의 목차에서 언급한 내용처럼 제가 지금 장기목표를 가지고 열심히 임하고 있는 시리즈 소설의 집필이 잘 되어서 출간 및 판매하는 것입니다.

기획부터 오타 검수, 작가 블로그 관리와 마케팅 및 영업 등을 제가 혼자 할 요량으로 생각하고 또 그렇게 하고 있기 때문에 비용적인 부담은 적은 편이긴 하지만, 사실 이 소설들을 제대로 집필할 수 있을지 약간의 걱정은 됩니다.

그러나 저는 한번 달려가 보려고 합니다.
제가 집필한 소설들이 한 권이라도 팔릴 수 있다면 저는 계속해서 정진해 볼 생각입니다.

제 작품에 관심이 있으신 분이라면 새로 블로그에서 소개하는 출간 소식이나 블로그 주소를 지인에게 소개 또는 공유해 주시면 매우 감사하겠습니다.

작가 블로그 주소는 책의 마지막에 기술해 놓았습니다.

5. 하나님은 우리를 버리지 않는다

저는 모든 사람들의 행위를 하나님께서 다 보고 계신다고 생각하는 기독교인이기도 합니다.
그래서인지 이 목차의 제목처럼 생각하기도 하고, 실제로 버리지 않는다는 것을 느낀 사례도 있습니다.

그것은 바로 제가 조현병에 걸렸음에도 공인 작가로서 잘 활동을 이어 나갈 수 있게 해주신 은혜라고 생각합니다.

하나님은 우리를 버리지 않습니다. 어느 순간이 될 때까지 지켜보시다가 결정적 순간에 가장 필요한 것을 가장 알맞게 제공해 주시고는 합니다.

그것이 사람이든, 물질적 축복이든, 깨달음의 순간이든 간에 하나님께서는 항상 예비하신 것들로 우리에게 채워주시는 것 같습니다.

만약 지금 이 책을 보고 계신 분이 기독교인이시라면 위의 내용과 같이 믿음으로 구하여 보시기를 바라고 또한 기도에 응답이 있기를 진심으로 소망합니다.

6. 악인도 알맞게 쓰시는 하나님

제가 공인 작가가 된 것은 한순간에 된 것이 아니지만, 아이러니하게도 그 시작점은 아마도 조현병이 발병한 순간이 아닌가 싶습니다.

이미 여러 번 제 저서에서 밝힌 바와 같이 저는 어느 스타트업에서 일을 하다가 낯설고 무서운 환경에서 조현병이 발병하고 맙니다.

그러나 조현병이 발생한 저는 오히려 병의 진행 과정과 다른 조현병 환우에게 도움이 될 만한 것들을 기록해 보자는 생각으로 처음에 집필을 시작하게 되었습니다.

저는 오히려 조현병에 걸리게 만든 장본인인 그 스타트업의 대표에게 약간의 고마움마저 느끼려고 합니다. 왜냐하면 작가가 제 적성에 매우 잘 맞았고, 조현병이라는 소재로 8권(합본 도서 포함)의 책을 써낼 수 있었기 때문입니다.

그분이 악인이라는 사실에는 분명히 동의를 하지만, 제가 작가가 되는 계기를 마련한 것도 확실합니다.

이처럼 세상에는 악인들이 많다고 생각합니다. 그러나 하나님께서는 악인도 알맞게 사용하시는 줄로 믿습니다.

아래는 그와 관련된 성경 구절입니다.

[잠언 16장 4절(개역 개정판)]

여호와께서 온갖 것을 그 쓰임에 적당하게 지으셨나니 악인도 악한 날에 적당하게 하셨느니라

세상에는 우리가 흔히 말하는 악인들도 많은 것이 사실입니다. 그러나 하나님의 말씀을 보고 듣는 우리(기독교인)는 이러한 말씀을 보고 그 말씀을 믿는 것 또한 필요하다고 생각합니다.

성경이 읽기 어렵다면 잠언을 보시면 좋을 것 같다는 생각도 해봅니다. 잠언에는 인생의 지혜가 가득 담겨 있기 때문입니다.

저도 성경 통독을 위해 노력하고 있습니다. 여러분도 한번 관심이 있는 부분이라도 성경을 읽어 보시는 게 어떨까 합니다.

7. 감사한 사람들

저는 조현병 급성기 때는 정말 심각한 망상과 두려움을 가지고 살았습니다. 그러나 주위에서 도움의 손길이 있었는데요.

가장 많이 도움을 주셨던 분은 아버지의 지인이셨습니다. 당시엔 저희 집안 사정이 좋지 않았는데 제가 병원에 입원해 있을 때 병원비(한달 150만원) 감당이 도저히 안되는 상황에 놓여 부모님의 걱정이 최고조에 달했을 때, 한 줄기 희망이었던 '기초수급자'제도의 존재 자체에 대해 알려주시고 신청 서류까지 동행하며 서류 준비까지 도와주신 것입니다.

그때는 정말 제가 지금 다시 생각해도 증세가 너무 심했었는데, 매달 나오는 병원비를 의료수급자가 되어 병원비의 대부분을 해결할 수 있었습니다.

그리고 입원할 병원을 수소문 할 때 친척 동생(간호사)의 도움을 받기도 했습니다. 그것은 괜찮은 정신병원을 알려달라는 부모님의 다급한 부탁이 있었기 때문입니다.

그리고 제 저서에서 몇 번 언급했지만 제 남동생에게

도 감사함을 많이 느낍니다.

왜냐하면 제가 급성기 때에 저질렀던 대출 등을 동생이 대신 갚아주었기 때문입니다.

이처럼 주변인들이나 친척, 가족의 많은 도움이 없었다면 제가 지금처럼 작가가 되지 못했을 것 같다는 생각이 듭니다.

또 한 명의 고마운 사람은 제 중학교 동창입니다.

누구인지는 밝히지 않아도 제 병을 많이 이해해 주려고 노력하고 지금도 연락을 하며 친하게 지내는 정말 몇 없는 제 곁에 남은 친구입니다.

사실 급성기에서 조금의 안정기로 가고 있을 때 저의 증상을 본 많은 친구들이 제 곁을 떠났지만, 그 친구를 비롯한 몇 명의 친구가 제가 위안이 되어 주었다는 것은 정말로 확실한 것 같습니다.

8. 소중하고 아름다운 모든 것들

이 책을 읽고 계신 여러분께 저는 세상에는 소중하고 아름다운 것들이 저희가 생각하는 것 보다는 많다는 말씀을 드리고 싶습니다.
성경에서 말하는 믿음, 소망, 사랑 같은 가치들은 언제나 그대로 변하지 않고 저희의 곁에 있다고 생각합니다.

어떤 분에게는 부모님이나 가족, 어떤 분에게는 지인이나 이웃, 또 다른 분들에게는 그분들만의 소중한 것들과 아름답다고 생각하는 것이 있을 것입니다.

저는 지금 몇 가지 단어를 생각해 봅니다.
약속과 헌신, 종교적 믿음이나 신념, 그리고 개개인의 가치관과 개성 또한 중요할 것 같습니다.

저는 이 세상이 완벽하지는 않아도 평범함 속에 있는 소중하고 아름다운 것들을 발견하실 수 있기를 바랍니다.
그리고 이 책을 읽고 계신 여러분이 기독교에서 말하는 복, 또는 세상이 말하는 복을 넘치도록 받으시기를 진심으로 바랍니다.

9. 하나님의 자비하심

하나님께서는 제 병이 상당 부분 호전되어서 글을 쓸 수 있을 정도까지 회복될 수 있게 허락하셨습니다.

하나님은 정말 자비로운 분이라고 생각이 듭니다.

제가 일상생활을 하며 작가가 되도록 허락하시고, 제가 꿈꾸는 미래를 포기하지 않는 용기를 주셨습니다.

오래 참으시며 끝없는 사랑으로 우리에게 일용할 양식을 공급해 주시고 하루를 사는 평범한 일상 속의 감사함을 느끼게 하심을 감사 드립니다.

그래서 저는 기독교라는 종교를 믿는 사람과 그렇지 않은 사람들도 충분한 하나님의 자비하심을 언제나 찾고 경험하며 느낄 수 있다면 좋겠습니다.

이 책을 읽고 계신 모든 분께 하나님이 베푸시는 자비를 느끼기를 항상 바라며 기도하고 있겠습니다.

10. 천국은 지금 여러분 앞에 있다

저는 천국이 이상과 상상, 또는 다른 세계 및 사후 세계에만 존재한다고 생각하지는 않습니다.

제가 말씀드리고 싶은 것은 천국은 지금 여러분 앞에 있다는 것입니다.

좋아하는 음악을 들었을 때, 오래 준비하고 갈망하던 여행을 가거나 계획을 세울 때, 아니면 가정의 화목한 분위기를 온몸으로 느낄 때, 심지어 그냥 거리를 걷는 일에도 특별한 사건이 없는 이 평범한 모든 순간을 즐기고 있는 그 자리가 바로 현실에서의 천국이라고 생각합니다.

천국을 너무 막연한 상상 속 존재로만 생각하지 마시고 인생의 재미를 발견하시면서 그것들을 하는 모든 순간이 이미 천국이라고 생각하셨으면 합니다.

우리가 하고 싶은 무언가를 향해 아주 조금씩이라도 전진하는 모든 순간이 소중한 현실의 천국이 아닌가 생각을 해봅니다.

Part 4 - 예수님을 닮아가는 삶이란

기독교인이라면 예수님의 말씀이나
가르침을 많이 들어 보셨을 것입니다.

이번 파트에서는 어떻게 하면 예수님을
닮아가는 사람이 될 수 있을지 한번
저의 생각이 많이 들어간 목차들로
준비해 보았습니다.

혹시 동의하지 않으시는 항목도 있을 수
있지만 제 생각을 과감히 말씀드려
보겠습니다.

1. 스스로가 떳떳할 수 있게

많은 사람이 마음속에 아마도 저마다의 기준과 양심을 가지고 살아가리라 생각이 듭니다.

저는 기독교인이므로 그 양심을 종교적인 관점으로 볼 때도 있습니다. 예를 들면 기독교인은 세상 사람들에게 모범이 되면 좋겠다는 생각을 많이 합니다.

저는 이번 목차 그대로 스스로가 떳떳할 수 있게 살려고 노력하고 있고, 그 중 하나의 실천으로 아무리 화가 많이 나도 저속한 단어나 욕을 쓰지 않으려 노력하고 있습니다.

이미 나이가 책을 쓰고 있는 현재 기준으로 38살이어서 불혹을 2년 남겨두고 있는데요, 그렇기 때문인지 '조금 어른스럽게 행동하고 나잇값을 하자'라는 생각 또한 합니다.

그러나 무엇보다도 신앙을 가진 자로서 교회의 이름이나 예수님에 얼굴에 먹칠을 하는 행동은 하지 않으려고 가장 노력한다고 볼 수 있습니다.

예를 들면 다른 사람을 위해 베풀고 나누어 주며 응원과 희망을 전달하는 소명 또한 가지고 있습니다.

그러나 아직 까지 가장 안되는 것이 금연인데 기독교인으로서 많이 부끄러운 마음이 듭니다.

저는 선천적으로 남을 위해서 뭔가를 도와드리거나 해주고 그분이 도움이 되었거나 기뻐하는 모습에서 많은 인생의 보람을 느낍니다.

그래서 이 책도 어떤 사람들에게는 어떤 식으로든 도움이 될 것이라 생각하고 또 도움이 된다고 생각하면 많이 기쁘기도 합니다.

또한 성경 적인 가르침(예수님의 가르침)을 항상 잊지 않고 살려고 노력하고 있습니다.

이 책을 보시는 여러분도 멋진 자신만의 삶의 기준을 세워 보시는 것은 어떨까 합니다.

2. 저는 역시 크리스찬 입니다

저는 최근에 제가 다니는 교회의 '특별 새벽 기도'에 어머니와 함께 예배를 드리러 간 적이 있습니다.

그런데 이게 웬일입니까, 교회 코앞의 횡단보도에서 신호를 대기하던 중에 눈물이 핑 도는 것이었습니다.

그 이유는 아마 예배의 갈급함이 증상 때문에 교회를 나가지 못했던 시간만큼 있어서 그런 것 같습니다. 그래서 제가 그 날 교회에 가서 예배 시작 전에 하는 찬양을 듣고 눈가가 촉촉해 졌는지도 모릅니다.

그리고 담임목사님의 훌륭하시고 좋은 설교 말씀을 들을 때는 많은 깨달음을 얻기도 했습니다.

마지막으로 새벽기도를 할 때는 정말 수많은 눈물이 났습니다. 하나님께서 저를 감동 시키신 듯 열심히 기도하였습니다. 저희 가정과 대한민국, 그리고 교회와 더 나아가 이 지구의 모든 힘든 이들을 위해 기도하였습니다.

저는 그것이 바로 제가 확실한 크리스찬임을 다시 느

끼는 계기가 되었다고 생각합니다.

앞으로 증상이 조금 더 회복이 되고 일상이 더 많이 돌아오게 되면 그동안 나가지 못했던 일요일(주일) 예배도 참석하고 싶습니다.

혹시 이 책을 보시는 여러 분들 중에서 크리스찬이신 분이 계시다면 새벽기도를 한번 쯤은 경험해 보시는 것을 추천해 드립니다.

3. 저는 이렇게 전도하고 싶어요

저는 전도를 하는 것이 기독교의 소망인 것을 잘 알고 있고 어릴 적부터 교회에 다닌 이유로 실제로 많은 기독교인들이 전도에 사명감을 가지고 전도하려 애쓰는 모습을 보았습니다.

하지만 저는 이렇게 전도하고 싶습니다.
예를 들면 "저 사람은 정말 예수님의 가르침대로 살고 있구나, 배울 점이 많구나, 따뜻하구나, 그리고 타인을 위해서 배려하고 응원하는 마음으로 노력하는구나"라는 것이 제가 굳이 말하지 않아도 느껴질 수 있도록 하고 싶습니다.

한마디로 기독교인으로서의 품위를 지키고, 제 삶의 자세와 실제로 하는 행동에서 기독교에 대한 호감이나 긍정적 평가가 되도록 하고 싶은 것입니다.

저는 오늘도 그 목표를 향해 열심히 달려가고 있습니다. 저는 이 목표가 꽤 괜찮은 목표라고 생각합니다.

저는 전도를 거창한 것으로 보고 있지 않습니다.
적어도 비기독교인이 보기에 좋은 모습을 보이면 된

다고 생각을 해봅니다.

혹시 기독교인이신 분들에게 이 책이 도움이 되기를 바라고, 일반인이시라면 "아 교회는 나쁜 곳이 아니구나"라고 느끼실 수 있으면 좋겠습니다.

그리고 저는 거리와 각 지역에서 전도 활동을 하시거나 선교 및 마음으로 섬기고 더 따뜻한 세상을 위해 후원이나 봉사 활동을 하시는 모든 분들을 존경하고 있습니다.

그 외에도 보이지 않는 기도로 저희 나라와 세계 열방을 향해 중보(타인을 위해 기도하는 것)하고 계시는 분들을 응원하는 마음입니다.

4. 욕심 버리기 연습

저는 원래 욕심이 많은 사람이었습니다. 한때는 사업으로 큰 돈을 벌고 싶기도 했습니다. 이유는 저희 집안 경제가 좋지 못한 적이 많았기 때문입니다.

또 고생하시는 부모님을 안정된 생활을 통해 기쁨을 느끼게 해드리고 싶은 마음과, 개인적인 출세의 욕심 또한 있었습니다.

어떻게 보면 저는 욕심으로 똘똘 뭉쳐진 사람이었던 것 같습니다.

그러나 아픈 뒤에 깨달은 평범하고 소중한 것은 바로 지금의 일상이라는 점이 제게 욕심을 내려놓게 하였습니다.

모든 욕심이 나쁜 것만은 아닙니다. 그러나 저는 작가로서 글을 쓰면서 현실에 맞지 않거나 너무 무리한 욕심은 이제 내려놓는 방법을 찾은 듯합니다.

저는 제가 할 수 있고 보람을 느끼는 일을 하는 것만으로도 어느 정도의 행복을 느끼기도 합니다.

지금은 저와 같은 조현병 환우들에게 희망을 주는 일을 한다고 생각하고 있고, 실제로 도움이 되었다는 소식이 가장 기쁘기도 합니다.

여러분들도 실천이 가능하지 않은 영역의 욕심을 가지고 너무 허황된 것을 탐하는 자세는 조금 내려 놓으시는 것은 어떨까 생각해 봅니다.

5. 예수님은 우리 안에 살아 계십니다

이번 목차를 보신 분은 아마 어려운 주제일 수도 있다고 생각하실 것 같습니다.
그러나 저는 우리 안에 예수님이 살아 계신다고 생각을 합니다. 그 이유는 우리가 태어날 때부터 가지고 있는 선한 마음과 양심이라는 것들 때문입니다.

저는 모든 사람은 선한 마음을 가지고 태어난다고 생각합니다. 갓난 아기들을 보면 그것을 알 수 있는데요. 한없이 방긋 방긋 웃는 모습에서는 어떠한 악도 느껴지지 않는 듯 합니다.
또한 사람마다 가지고 있는 양심이라는 것은 우리에게 큰 작용을 하는 것 같습니다. 예를 들어 길에 떨어진 지갑을 보고 그 주인에게 돌려주는 일 등이 대표적인 양심과 선함의 작용으로 생각이 됩니다.

마지막으로 한 가지를 더 이야기 해보고 싶습니다. 그것은 우리나라에 특히 강한 예의라는 관습인데요. 혹시 지나가는 나이가 많으신 어른들의 짐을 잠깐이라도 들어준 적이 있거나 그런 광경을 보신 분도 있을 것입니다.

저는 예수님이 저희 안에 계신다는 것의 의미가 꼭 기독교에서 말하는 은사나 성령의 임재하심 뿐만 아니라 생활 속에서 선한 일을 행하고 양심에 맞게 행동하며 예의를 지키는 일에도 나타난다고 생각을 합니다.

예수님은 인간의 죄를 씻기 위해서 십자가에 매달리시고 또 죽음을 이기시고 부활하신 하나님의 아들이시며, 영원한 기독교인의 롤모델이기도 한 것 같습니다.

그러나 우리가 생각해야 할 것은 우리가 말씀을 마음 속으로 지니고 예수님을 닮아가는 삶을 살기로 생각하고 실천하는 모든 순간에 예수님이 우리 안에 이미 계신다고 믿어 보는 것도 좋을 것 같습니다.

6. 세상에 있는 모든 증오가 사라지길

저는 이 세상에 있는 모든 증오들이 사라지고 비록 완벽한 천국 또는 지상낙원의 모습이 아닐지라도 서로 존중하고 아끼며 이웃을 사랑하고 어려운 사람을 도울 수 있는 사회가 되기를 기도하곤 합니다.

특히나 전쟁 같은 너무나 참혹한 일들이 어서 그치고 그런 전쟁을 겪은 나라들이 재건되는 것을 바라고 있습니다.

그리고 조금 더 가까운 모습에서 증오가 사라지길 원하는 것은 바로 우리 나라 대한민국의 의견이나 단합을 저해하는 프레임과 색깔론, 성별 또는 정치적 갈라치기, 지역감정과 세대 갈등 등이 하루빨리 서로의 대립을 끝내고 상호 간에 포용할 수 있는 멋지고 아름다운 사회가 되기를 소망해 봅니다.

그렇게 된다면 대한민국이라는 나라는 정말 많은 발전을 할 수 있는 잠재력이 충분하다고 생각합니다.
여러분들도 저와 같은 소망이 있다면 소망을 가지고 간단하게라도 증오가 사라지기를 위한 기도를 하시면 좋겠습니다.

7. 희망의 돛을 달고

우리는 어떠면 힘든 현실과 인생의 쓴맛 속에서 희망이라는 단어를 마음속 깊숙한 곳에 넣어 두었는지도 모릅니다.

혹시 그렇다고 생각되시는 분이 있으시다면 제가 쓴 희망 에세이인 <당신에게 있는 희망을 발견하세요>를 읽어보시는 것도 조금은 도움이 되지 않을까 하는 생각이 듭니다.

그러나 이 책에서도 조금의 희망을 보셨다면 그 희망의 불씨를 계속 살리는 노력을 하신다면 반드시 희망의 미래로 가실 수 있을 것이라는 생각을 감히 해봅니다.

여러분이 각자 소망하는 것들에 대한 희망을 이제 꺼내는 연습을 하시기를 바라면서 이제 책의 말미를 장식할 축복기도문을 쓰려고 합니다.

이번에는 종교가 없으신 분도 수긍하실 만한 내용으로 써 보겠습니다. 이 책을 봐주시는 모든 분께 감사드립니다.

8. 축복기도문

주님, 이 책을 보는 모든 사람이 각자의 희망을 볼 수 있고 다시 꺼낼 수 있도록 도와주시기를 바랍니다.

희망을 잃어버린 자에게는 희망을,
신앙을 읽어버린 자에게는 강한 믿음과 기도 응답을,
믿지 않는 자에게는 세상의 축복을,
용기가 필요한 자에게는 용기를,
마음을 다친 자에게는 위로를,
주님을 찾고자 하는 자에게는 성령의 역사를,
꿈을 잃어버린 자에게는 비전을,
아픈 자에게는 낫게 되는 은혜를,
절망에 빠진 자에게는 용기와 힘을,
시험을 앞둔 자에게는 합격을,
걱정이 많은 자에게는 평안함을,
우울한 병을 가진 자에게는 즐거움을,
정신적인 문제를 가지고 있는 자와 육체적 질병을 가진 자에게는 회복과 기적을 경험하도록 하시고,
그로 인해 하나님이 영광을 받으실 줄로 굳게 믿고 기도합니다.
예수님의 이름으로 기도드립니다. 아멘.

지옥편 이야기

지옥이라는 것이 현실에서 존재한다면 과연 어떤 모습일까 생각해 보신 적이 있습니까?
저는 조현병을 겪으며 제 나름대로 현실에 존재하는 지옥을 경험하였습니다.
그 지옥에 대한 경험을 책으로 낸 바가 있습니다.

책의 제목은 <조현병과 함께한 지옥 탈출>입니다.

사실 이 책과 그 책은 처음부터 한 번에 같이 기획된 책입니다. 제 9번째 도서를 보시고 정신과 문제 중에서도 특히 조현병을 겪고 계신 분이나 그 가족들에게 조금은 도움이 될 것 같다는 생각을 해봅니다.
그럼 많은 관심을 바랍니다.

맺는말

이제 드디어 이 책의 마지막인 맺는말을 남겨놓고 있습니다. 이 책은 기독교 에세이면서도 일반인이 읽으셔도 부담 없도록 집필하려고 제 나름대로 많은 공을 들인 책입니다.

저는 이 맺는말 안에서 다시 한 번 되물어 보고 싶은 것이 있습니다. 과연 이 책이 하나님이 주신 감동으로 쓰였는가 스스로에게 물어보는 것입니다.

그러나 아직은 잘 모르겠습니다. 영적으로 굳건한 믿음을 지닌 어머니와는 다르게 저는 조금은 세상적인 면도 가지고 있기도 하고, 예배에 잘 참여를 못하는 상황이라 엉터리 기독교 신자일 수도 있겠습니다.

그러나 한 명의 노력하는 작가로서 제가 태어날 때부터 38살의 나이까지 경험한 기독교적인 관점에서의 책이 완성이 되었다는 것에 많은 기쁨을 느낍니다.

이 책이 단 한 명의 기독교 신자에게라도 신앙적으로 도움이 되거나 일반인들이 보기에 부담 없는 책이 되었다면 저는 만족합니다.

마지막으로 다시 한번 이런 책을 쓸 수 있는 지혜를 허락해 주신 하나님 아버지께 모든 영광을 올려 드립니다.

이 책을 구매하시거나 끝까지 봐주셔서 감사합니다.

그럼 마지막으로 제가 이 책에서 소개하고 싶은 성경 말씀을 적어 보려고 합니다.

[요한복음 14장 27절(개역 개정판)]

평안을 너희에게 끼치노니 곧 나의 평안을 너희에게 주노라 내가 너희에게 주는 것은 세상이 주는 것과 같지 아니하니라 너희는 마음에 근심하지도 말고 두려워하지도 말라

하나님의 살아계신 역사와 함께 하시기를 기도합니다.

프레이 작가의 글방(네이버 블로그):

https://blog.naver.com/praydream87